Swynio

Julie Rainsbury

Addasiad Siân Lewis

Darluniau gan Graham Howells

Argraffiad Cymraeg cyntaf—1999

ISBN 1 85902 636 2

ⓗ testun: Julie Rainsbury ©
ⓗ darluniau: Graham Howells ©

ⓗ addasiad Cymraeg: Siân Lewis ©

Mae Julie Rainsbury wedi datgan ei hawl dan Ddeddf
Hawlfraint, Dyluniadau a Phatentau 1988 i gael ei
chydnabod fel awdur y llyfr hwn.

Cyhoeddir y gyfrol hon gyda chymorth Cyngor Celfyddydau Cymru.

*Argraffwyd yng Nghymru gan
Wasg Gomer, Llandysul, Ceredigion SA44 4QL*

CYNNWYS

Y Llyfr Swynion

Unwaith, roedd dewin enwog o'r enw Dafydd Llwyd yn byw ger Ysbyty Ystwyth. Roedd sôn am ei allu drwy'r wlad i gyd. Dôi pobl ato'n aml i ofyn am swynion fyddai'n dwyn iechyd, cynaeafau toreithiog, cyfoeth a hapusrwydd iddyn nhw eu hunain, neu melltithion fyddai'n dwyn salwch, cynaeafau gwael, tlodi a gofid i'w gelynion. Roedd Dafydd yn barod i fwrw unrhyw swyn. Da neu ddrwg, doedd dim ots ganddo. Roedd y bobl yn ei dalu am y naill fel y llall.

Roedd gan Dafydd Llwyd was bach o'r enw Siôn. Siôn oedd yn glanhau tŷ'r dewin, ond châi e ddim dwstio'r poteli, y ffiolau na'r blychau oedd yn dal y cynhwysion hud. Siôn oedd yn coginio bwyd i'r dewin, ond châi e ddim troi'r diodydd hud oedd yn ffrwtian ddydd a nos yn y crochan ar y tân. Siôn oedd yn tacluso papurau'r dewin, ond châi e ddim agor y Llyfr Swynion mawr. Roedd barrau haearn am y llyfr a chadwyn yn ei glymu'n dynn wrth silff uchel yn llyfrgell y dewin.

Roedd gan Dafydd Llwyd geffyl o'r enw Taran. Roedd y ceffyl yn enfawr. Wrth garlamu llifai ei fwng a'i gynffon drwy'r awyr fel cymylau'r hwyr. Pyllau du oedd ei lygaid, a'i ystlysau cyn dued ag awyr y nos. Yn ôl rhai, medrai hedfan. Yn ôl rhai, tasgai gwreichion o'i garnau wrth iddo wibio drwy'r coed. Yn ôl rhai, hwyliai ei gysgod dros y lleuad lawn a Dafydd Llwyd ar ei gefn.

Bob bore âi Dafydd Llwyd i mewn i'w lyfrgell a dringo'r ysgol arbennig. Gydag allwedd gain agorai'r dewin y barrau a'r gadwyn oedd yn dal y Llyfr Swynion ac yna fe gariai'r llyfr mawr at ei ddesg. Roedd y llyfr wedi ei rwymo â lledr coch ac arno seren aur a phum pigyn. Gofalai Dafydd Llwyd bob amser gau drws y llyfrgell cyn agor y Llyfr Swynion. Châi Siôn ddim mynd i mewn i'r stafell tra oedd y dewin yn gweithio, ond yn aml pan gerddai i lawr y coridor, fe glywai leisiau. Roedd e'n methu'n lân â deall o ble dôi'r lleisiau, gan y gwyddai fod y dewin bob amser yn mynd i mewn i'r stafell ar ei ben ei hun.

'Pwy sy gydag e i mewn fan'na?' meddai Siôn wrtho'i hun ddydd ar ôl dydd.

Feiddiai e ddim gofyn i'r dewin. Fyddai Dafydd Llwyd ddim yn fodlon o gwbl ac roedd Siôn wedi cael rhybudd i beidio byth â digio dewin.

Bob prynhawn, ar ôl astudio'i swynion a bwyta'i ginio, galwai Dafydd Llwyd am ei geffyl. Disgleiriai Taran yn loyw-ddu dan olau'r haul. Wrth bystylad ar gerrig yr iard, tasgai gwreichion o'i garnau a phigai'r tân goesau Siôn pan gydiai yng ngwarthol ei feistr. Ar ôl i Dafydd Llwyd gamu'n uchel i'r cyfrwy, câi Siôn estyn y Llyfr Swynion iddo. Plygai'r dewin i gydio yn y llyfr trwm, a lapiai ei glogyn yn ofalus amdano cyn carlamu i ffwrdd i fwrw swyn a melltith.

Un prynhawn gofynnwyd i Dafydd Llwyd alw ar deulu pwysig oedd yn byw fry yn y bryniau uwchben Afon Ystwyth. Roedd merch y tŷ yn wael iawn a gobeithiai'r teulu y gallai swynion y dewin ei gwella. Helpodd Siôn Dafydd Llwyd i ddringo ar gefn Taran fel arfer.

Ar ôl i'r dewin fynd, roedd hi'n dawel ar yr iard. Tynnodd Siôn foron o'r ardd. Aeth â nhw i'r tŷ gan fwynhau arogl y pridd ffres. Gosododd y moron yn y sinc garreg yn barod i'w lanhau ar gyfer swper y dewin. Ac yna sylwodd ar rywbeth. Ar bren tywyll y ford disgleiriai'r Llyfr Swynion fel gem mawr coch a melyn. Roedd y dewin wedi'i anghofio!

Beth oedd orau i'w wneud? Byddai Dafydd Llwyd o'i go pan sylweddolai fod y Llyfr yn dal yn y tŷ. Yn ei dymer byddai'n siŵr o feio'i was ac fe wyddai Siôn mai peth annoeth iawn oedd digio dewin.

Gwthiodd Siôn y Llyfr dan ei gesail ac i ffwrdd ag e ar ôl Dafydd Llwyd. Roedd yn ddiwrnod poeth a hewl y mynydd yn greigiog a llychlyd. Roedd y Llyfr yn drwm iawn. Cyn hir roedd rhaid i Siôn gymryd seibiant. Roedd y mynyddoedd yn foel heblaw am ambell goeden grom a'r borfa fregus yn gwynnu yn yr haul. Islaw disgleiriai'r afon Ystwyth gan neidio a throelli heibio i greigiau'r dyffryn. Wrth wrando ar sŵn y dŵr teimlai Siôn yn boethach ac yn fwy sychedig nag erioed. Roedd y Llyfr yn gwasgu ar ei liniau. Teimlai'r lledr yn gynnes ond, pan gyffyrddodd ag ymylon garw'r tudalennau, roedd rheiny'n rhyfeddol o oer. Roedd yr oerfel yn ei demtio, fel petai yno gysgod rhag y gwres. Llosgai'r haul gefn ei ben a theimlai Siôn yn chwyslyd a braidd yn chwil. Sgubodd bryfyn oddi ar ei dalcen. Teimlai'n rhyfedd iawn. Bodiodd dudalennau'r Llyfr Swynion. Hedfanodd y papur drwy'i fysedd fel plu eira. Gwyliodd Siôn eu cysgod yn dawnsio dros ei ddwylo.

Yn araf, fel pe bai mewn breuddwyd, agorodd Siôn y Llyfr led y pen.

O'i flaen cododd siâp rhyfedd fel pwff o fwg. Llithrodd allan o ddudalennau agored y Llyfr Swynion. Ciliodd Siôn yn ei ôl. Tyfodd y siâp yn fwy solet – siâp creadur du, cam gydag adenydd ystlum, pig boda, llygaid tylluan, croen llyffant. Dechreuodd grawcian ar Siôn. Ei lais oedd y llais a glywsai Siôn yn llyfrgell Dafydd Llwyd.

'Be ga i wneud, meistr? Be ga i wneud?'

Gwyddai Siôn fod ysbrydion yn byw mewn llyfrau swyn, ysbrydion fel jîni'r lamp sy'n gofyn am dasgau i'w gwneud. Edrychodd o'i gwmpas yn ofidus. Doedd dim llawer i gadw ysbryd yn brysur ar y mynydd moel. Dechreuodd y creadur glebran yn uwch.

'Be ga i wneud, meistr? Be ga i wneud?'

Edrychodd Siôn i lawr i'r dyffryn. Roedd sgrech y creadur yn codi ias arno.

'Be ga i wneud, meistr? Be ga i wneud?'

'Cwyd y creigiau o'r afon,' meddai Siôn yn wyllt.

Hedfanodd y creadur i lawr y dyffryn. Cyn hir roedd e'n taflu'r creigiau ar y lan fel petaen nhw'n gerrig mân. Atseiniai'r twrw fel taranau dros y dyffryn. Roedd y sŵn yn fyddarol. O'r diwedd doedd dim un craig ar ôl yn y dŵr, a llifai AfonYstwyth yn llyfn a llydan.

'Be ga i wneud, meistr? Be ga i wneud?'

Sylweddolodd Siôn nad oedd ganddo syniad sut i roi'r creadur yn ôl yn ddiogel yn y Llyfr Swynion.

'Be ga i wneud, meistr? Be ga i wneud?'

Roedd Siôn bron â drysu.

'Be ga i wneud, meistr? Be ga i wneud?'

Doedd dim taw ar y llais. Sgrechiai fel sialc yn crafu ar lechen.

'Tafla'r creigiau'n ôl i'r afon,' meddai Siôn gan obeithio cael amser i feddwl.

Hedfanodd y creadur i lawr y dyffryn. Cyn hir roedd creigiau'n disgyn yn ôl i'r afon fel cerrig mân. Tasgai bwâu disglair o ddŵr i'r awyr. Crensiai a chrafai'r creigiau yn erbyn ei gilydd. Roedd y sŵn yn fyddarol.

Yn sydyn tywyllodd y dyffryn. Edrychodd Siôn dros ei ysgwydd. Safai Taran ar grib y bryn yn erbyn yr haul, a Dafydd Llwyd ar ei gefn. Roedd y dewin wedi clywed y twrw erchyll fel twrw rhyfel ac wedi dod yn ôl i weld beth oedd yn digwydd. Deallodd ar unwaith. Gwyddai mai ar Siôn oedd y bai. Tyfodd cysgod y dewin yn fawr a bygythiol ar y gorwel, yn dywyll fel cwmwl glaw. Rhoddodd broc i Taran. Carlamodd ar wib i lawr y mynydd tuag at Siôn. Swatiodd Siôn y tu ôl i bwt o goeden. Ond fedrai e ddim cuddio rhag y dewin cynddeiriog. Gwaeddodd Dafydd Llwyd eiriau swyn ac ar unwaith cipiwyd yr ysbryd i'r awyr, gollyngwyd e ar dudalen agored a chaeodd y Llyfr Swynion yn glep.

Sgrialodd Taran a Dafydd Llwyd at Siôn ac aros o'i flaen. Roedd wyneb y dewin yn fflamgoch. Cododd ei fraich i felltithio Siôn. Rhusiodd Taran a'i garnau'n fflachio. Ffrwydrodd mellten drwy frigau'r goeden gam a disgynnodd cawod o frigau, dail a chriafol ar Siôn. Yn ei wylltineb gafaelodd Siôn mewn clwstwr o aeron. Rywsut neu'i gilydd fe gofiodd fod y pren criafol yn medru amddiffyn rhag gwrach a dewin. Disgleiriai'r aeron yn goch yn ei law, yn fwy coch ac yn fwy llachar na lledr y Llyfr Swynion.

Marchogodd Dafydd Llwyd o amgylch Siôn. Gwgodd, gwaeddodd, bwrodd felltithion enbyd, ond fedrai e ddim niweidio'r gwas bach oedd yn cydio'n dynn yn y brigyn o bren criafol. O'r diwedd rhoddodd y dewin y gorau iddi a marchogodd i ffwrdd gyda'i Lyfr Swynion.

Aeth Siôn byth yn ôl i weithio i Dafydd Llwyd, ond o hynny ymlaen, am weddill ei fywyd, gofalai bob amser gario brigyn o'r pren criafol. Roedd Siôn wedi dysgu

gwers. O hynny ymlaen, am weddill ei fywyd, dywedai wrth bawb – wrth ei wraig, wrth ei blant, wrth ei wyrion – am beidio byth, byth, byth, â digio dewin.

Y Wrach a'r Fuwch Wen

Amser maith yn ôl, ger Bryn Cornatyn ar y ffin rhwng
Cymru a Lloegr, roedd newyn enbyd. Am ddydd ar ôl
dydd doedd dim un cwmwl yn yr awyr las. Am ddydd ar
ôl dydd disgleiriai'r haul yn ddidrugaredd a chrynai'r
awyr dros yr hewlydd llychlyd. Am ddydd ar ôl dydd,
wythnos ar ôl wythnos, mis ar ôl mis, doedd dim glaw.
Sychodd yr afonydd a gwywodd y cnydau yn y caeau.
Aeth yr anifeiliaid yn denau a marw o newyn. Fe
fyddwn ninnau'n marw hefyd, meddyliodd y bobl, os na
ddaw help.

Ond doedd y sychder yn poeni dim ar wraig o'r enw
Mitchell. Roedd yr ardd o gwmpas ei bwthyn bob amser
yn wyrdd ac ir. Yn ei gardd safai rhesi o lysiau tew, coed
yn llawn o ffrwythau a thyfai tuswâu o flodau ger y
llwybr o flaen ei drws. Ond doedd Mitchell yn rhannu
dim o'i chyfoeth â'i chymdogion truenus. Dim ond
gwenu'n goeglyd wnâi Mitchell a mwmian cân na fedrai

neb ei chlywed. Symudai'n ysgafn droed drwy'r ardd mewn clogyn hir, coch – cyn goched â'r aeron gwenwynig yn y clawdd.

Cwynai'r bobl amdani dan eu gwynt. Bob bore, ar ôl syllu i'r awyr, roedd pawb yn troi i edrych ar fwthyn Mitchell.

'Dim cwmwl,' meddai un. 'Mae swyn ar y wlad.'

'Dim glaw,' meddai'r llall. 'Mae swyn ar y wlad.'

'Dim gobaith,' meddai'r trydydd. 'Mae swyn ar y wlad.'

Ddydd ar ôl dydd, âi'r bobl yn fwy a mwy digalon a mwy a mwy newynog.

Un bore, pan oedden nhw bron â methu dioddef rhagor, gwelodd y bobl siâp gwyn yn tyfu ar gopa'r bryn y tu ôl i fwthyn Mitchell.

'Cwmwl,' gwaeddodd un. 'Gwyrth!'

'Mae'r glaw'n dod,' gwaeddodd y llall. 'Gwyrth!'

'Buwch yw hi,' gwaeddodd y trydydd, 'ac ydy, mae hi'n fuwch wyrthiol. Buwch y tylwyth teg yw hi – mor wyn, mor dlws, mor ddisglair.'

Roedd y fuwch wen i'w gweld yn glir nawr. Disgleiriai'n llachar yng ngwres yr haul gan fwrw cysgod siâp buwch dros ardd Mitchell. Casglodd y bobl sosbenni a phadelli, poteli a bowlenni, jariau a jygiau a dechrau dringo'r bryn. Safai'r fuwch yn llonydd ar y copa wrth i'r rhes hir o bobl ymlwybro tuag ati. Sbonciai eu lleisiau a thinciai eu llestri fel cerrig yn clecian yn llif yr afon.

Safodd y fuwch yn llonydd ar gopa'r bryn wrth i'r bobl blygu i'w godro un ar ôl y llall. Safodd yno drwy'r dydd a llanwyd pob bwced a chwpan, pob stên a lletwad, pob

tegell a dysgl, â llaeth hufennog. Cariodd y bobl eu
llestri adre'n ofalus, ac wrth fynd i lawr y rhiw trodd
pawb eu cefnau ar fwthyn Mitchell.

Eisteddai Mitchell yn ei gardd yn gwgu ar bawb.
Roedd ei gardd yn oer dan gysgod y fuwch. Rhewodd y
gân yn ei gwddw a rhinciodd ei dannedd gan oerfel a
dicter. Tynnodd ei chlogyn yn dynn amdani a chrynu.
Yn y cysgod edrychai'r lliw coch fel rhwd neu staen
gwaed.

Ddydd ar ôl dydd eisteddai Mitchell yn ei gardd yn
hel meddyliau wrth i'r bobl ddringo'r rhiw. Ddydd ar ôl
dydd eisteddai yno wrth i'r bobl ddod adre a'u llestri'n
llawn. Doedd dim sôn am law o hyd, ond doedd dim
newyn chwaith. Chwarddai'r bobl wrth fynd heibio i'r
bwthyn.

'Edrychwch ar ei blodau'n gwywo yn y cysgod,'
meddai un. 'Mae'r swyn bron â chwalu.'

'Edrychwch ar oerni a surni ei hwyneb,' meddai'r llall.
'Mae'r swyn bron â chwalu.'

'Edrychwch ar ein buwch ryfeddol yn disgleirio fel
coelcerth ar y bryn,' meddai'r trydydd. 'Mae'r swyn bron
â chwalu.'

Daliodd Mitchell ati i feddwl a meddwl o doriad
gwawr tan yr hwyr. Eisteddodd yno drwy'r nos tra llifai
golau'r lleuad dros y fuwch a thasgai pelydrau'r sêr ar
ei chyrn.

Fore drannoeth ymunodd Mitchell â'r rhes o bobl oedd
yn dringo'r rhiw. Dringodd yn araf a symudodd pawb o'i
ffordd. Doedd neb am fod yn rhy agos ati. Gwisgai
Mitchell ei chlogyn hir coch a ddisgleiriai'n fygythiol
yng ngolau'r haul. Dringai'n lletchwith, a'i phen a'i

chefn yn grwm, fel pe bai'n cuddio rhywbeth o dan ei chlogyn.

O'r diwedd, roedd Mitchell yn sefyll o flaen y fuwch hud. Pefriai'r fuwch fel seren oer, fel arian gloyw. Llosgai Mitchell fel tân a fflamau ei chlogyn yn chwythu o'i chwmpas. Estynnodd Mitchell o dan ei chlogyn a thynnodd allan golandr metel enfawr.

Chwarddodd y bobl dros y lle.

'Mae Mitchell yn ddwl,' meddai un.

'Allwch chi ddim casglu llaeth mewn colandr,' meddai'r llall.

'Bydd y llaeth yn llifo drwy'r tyllau,' meddai'r trydydd.

Gwenodd Mitchell ei gwên ddirgel a phlygodd i odro'r fuwch hud. Mwmianodd ei chân ddirgel yn ddistaw bach dan ei gwynt. Godrodd yn ddyfal. Wrth i Mitchell odro, llifai'r llaeth yn ffrwd drwy dyllau'r colandr a suddo i'r ddaear.

Dechreuodd y bobl rwgnach yn ofidus.

'Symuda o'r ffordd,' meddai un.

'Wnei di byth lanw hwnna,' meddai'r llall.

'Gad i rywun arall odro,' meddai'r trydydd.

Gwenodd Mitchell ei gwên ddirgel a daliodd ati i odro. Godrodd o doriad gwawr tan yr hwyr. Godrodd drwy'r nos. Roedd y bobl o'u co, yn newynog ac ofnus.

Daliodd Mitchell ati i odro. Chwarddodd yn ddistaw bach. Roedd hi'n drech na'r fuwch hud. Byddai'r bobl yn marw o newyn.

Daliodd Mitchell ati i odro. Godrodd am ddyddiau, am wythnosau, am fisoedd a llifodd y llaeth drwy'r colandr.

Roedd hi'n unig ar y bryn. Erbyn hyn doedd neb yn dod i erfyn arni i beidio â godro a safai'r fuwch yn fud a gwyn a llonydd ar y copa.

'Maen nhw i gyd wedi marw, mae'n rhaid,' meddai Mitchell o'r diwedd. 'Dŷn nhw ddim wedi cael bwyd ers tro.'

Rhoddodd y gorau i odro ac ystwythodd ei bysedd. Rhwbiodd ei chefn a'i gliniau poenus a throdd i edrych i lawr ar y dyffryn.

Sgrechiodd Mitchell sgrech gynddeiriog.

Roedd y dyffryn oddi tani yn wyrdd a ffrwythlon. Roedd y llaeth o'r colandr wedi llifo i lawr y bryn a llanw'r afonydd. Roedd y wlad ar ei gorau. Roedd y caeau'n llawn o gnydau. Porai anifeiliaid yn y borfa las a gweithiai'r bobl yn hapus a phrysur. Roedd y dyffryn mor llewyrchus ag erioed ac roedd pawb bron iawn ag anghofio fod Mitchell yn dal i odro'r fuwch hud ar y bryn.

Sgrechiodd Mitchell eto – un sgrech hir, araf, uchel. Yn y dyffryn cododd pawb eu pennau'n syn. Estynnodd Mitchell ei braich a tharo'r fuwch yn ei hochr. Daeth rhu fel taran a fflach fel mellten lachar.

Pwyntiodd y bobl at y bryn a dechrau rhedeg. Pan gyrhaeddon nhw'r copa, doedd dim sôn am y fuwch hud. Ond lle bu Mitchell, safai clwstwr o feini hirion na welodd neb mohonynt erioed o'r blaen. Edrychodd pawb yn syn ar y meini. Roedd y maen yn y canol yn debyg iawn i fenyw, ei chefn yn grwm, ei braich ar led, a golwg gynddeiriog ar ei hwyneb yn gymysg â braw. Safai'r meini eraill o'i chwmpas fel cawell neu gorlan ddefaid, fel barrau carchar.

Aeth blynyddoedd lawer heibio ers i'r fuwch hud ymddangos ar y ffin rhwng Lloegr a Chymru, ond mae clwstwr o feini hirion yn dal i sefyll ger Bryn Cornatyn a'r enw lleol arnynt yw 'Corlan Mitchell'. Mae'r maen yn y canol yn hen iawn ac wedi malurio, ond mae'n edrych yn debyg i fenyw o hyd, medd rhai. Saif y Gorlan mewn man unig ac yno, ddydd ar ôl dydd, clywir sgrech ryfedd yn sŵn y gwynt sy'n chwythu dros y bryn.

Aby Biddle a'r Gwenyn

Bron ddau gan mlynedd yn ôl, yn ne Penfro, roedd ficer a'i wraig yn paratoi parti. Drwy'r dydd roedd y wraig yn llawn ffwdan fel iâr ar y gwynt.

'Am lanast! Am lanast!' clwciodd wrth y forwyn fach oedd yn golchi'r grisiau, yn dwstio'r dresel, yn codi'r clustog ac yn gloywi'r grât. Baglodd dros fwced y forwyn wrth wibio heibio a thasgodd ffrwd o ddŵr brwnt dros y llawr.

'Am lanast! Am lanast!' clwciodd wrth y gogyddes oedd yn tylino toes, yn pobi pysgod, yn berwi bresych, yn paratoi pwdin. Trawodd yn erbyn bowlen y gogyddes wrth wibio heibio a llifodd afon o wy dros y llawr.

'Am lanast! Am lanast!' clwciodd wrth forwyn y parlwr oedd yn paratoi platiau, yn casglu cyllyll, yn gosod gwydrau, yn rhoi blodau mewn bowlen. Trawodd yn erbyn y fowlen wrth wibio heibio a disgynnodd cawod o betalau brau ar y llawr.

Roedd y ficer wedi cau ei hun yn ei stydi.

'Hedd, perffaith hedd,' meddai'n fodlon gan feddwl am ei bregeth.

Ychydig funudau cyn i'r gwesteion gyrraedd, daeth allan i fwrw golwg dros y trefniadau.

'Aleliwia!'

Gwenodd y ficer. Roedd y stafelloedd mor loyw â'r nen.

'Aleliwia!'

Gwenodd y ficer. Roedd y wledd gystal â gwledd Nadolig.

'Aleliwia!'

Gwenodd y ficer. Roedd y ford mor foethus ag allor.

Gwenodd ei wraig yn falch – yn union fel petai hi wedi gwneud y gwaith i gyd ei hunan.

Safai'r ficerdy mewn man unig ac roedd hi'n noson oer o aeaf. Cynheuodd y morynion y canhwyllau a rhoi coed ar y tân. Wrth i'r gwesteion cyntaf gyrraedd disgynnodd plu eira o'r awyr.

Roedd pawb o bwys wedi cael gwahoddiad i'r parti, o'r sgweiar i'r ysgolfeistr. Un o'r gwesteion oedd Aby Biddle, dewin enwocaf Cymru. Anaml iawn y byddai'n mentro allan o'r cwm unig lle'r oedd e'n byw. Roedd nifer o'r gwesteion wedi clywed am ei allu fel dewin, consuriwr a swynwr, ond doedden nhw erioed wedi ei weld o'r blaen.

Cyn hir roedd y ficerdy'n llawn o hwyl a miri. Bwytaodd y gwesteion y bwyd blasus ac yfed y gwin rhagorol, tra tasgai'r boncyffion yn llon ar y tân. Y tu allan roedd hi'n dal i fwrw eira. Gorweddai'r eira yn gwrlid ffres tawel dros y llwybr, dros y lawntiau, dros y cychod gwenyn yng nghornel yr ardd lysiau, dros y caeau a'r coed. Wrth iddi hwyrhau, dechreuodd y cwmni sgwrsio am storïau tylwyth teg, am ysbrydion ac am hud a lledrith.

'Hud a lledrith? Does dim o'r fath beth,' meddai'r sgweiar.

Trawodd ei ddwrn tew ar fraich y gadair. Yng ngolau'r gannwyll pefriai'r cadach gwyn am ei wddw.

Eisteddai Aby Biddle wrth y ffenest yn byseddu border y llenni. Gwenodd yn dawel bach.

'Dwli yw'r cyfan,' meddai'r ysgolfeistr.

Agorodd Aby Biddle gornel y llenni a syllu ar yr ardd. Gwenodd o glust i glust.

'Ie, wir! Aleliwia!' meddai'r ficer.

Roedd yr awyr yn glir, sylwodd Aby Biddle. Gorweddai cylch o olau leuad, fel pelen aur, ar y cwrlid arian ar y lawnt. Gwenodd Aby Biddle yn llon a throi at y gwesteion eraill.

'Gwyliwch,' meddai.

Agorodd Aby Biddle y ffenest fawr a chamu allan. Llithrodd dros y lawnt heb adael ôl ar yr eira glân. Cododd y cylch golau-leuad a llithro at y cychod gwenyn. Plygodd yn ymyl pob cwch a'i glustiau'n llawn o si cysglyd y gwenyn. Daliodd y belen olau fel corongylch uwch ei ben. Galwodd ar y gwenyn.

'Dewch, dewch, dewch.'

Gwrandawai'r gwesteion yn ofnus wrth y ffenest. Gwyddai pawb, wrth gwrs, fod gwenyn yn deall Cymraeg.

'Dewch, dewch, dewch.'

Roedd Aby Biddle yn dal i alw'n dyner wrth lithro tuag at y tŷ. Y tu ôl iddo hedai cadwyn o wenyn melyn. Tyfai'r gadwyn yn fwy ac yn hwy o hyd.

Camodd Aby Biddle i mewn i'r stafell. Gosododd y cylch o olau llachar ar ganol y llawr.

'Dewch, dewch, dewch.'

Canodd y geiriau eto, yn uwch, a llifodd y gwenyn drwy'r ffenest i'r cylch golau. Wrth lanio, tyfodd pob gwenynen yn fawr a sgleiniog. Daeth mwy a mwy o wenyn drwy'r ffenest. Tyfodd pob un yn enfawr. Crynai'r stafell i sŵn eu suo. Heidiai'r gwenyn dros ddwylo tew a chadach gwddw gwyn y sgweiar. Tyrchai gwenyn blin swnllyd ym marf yr ysgolfeistr. Cropiai trwch o wenyn dros y llawr, y waliau, y ford a'r nenfwd.

'Am lanast! Am lanast!' crawciodd gwraig y ficer.

'A . . . a . . . a . . .'

Wyddai'r ficer ddim beth i'w ddweud. Am unwaith doedd 'Aleliwia!' ddim yn addas.

Gwenodd Aby Biddle ar y ficer.

'Abracadabra?' awgrymodd.

Roedd y stafell yn ferw gwyllt. Sgrechiai'r gwesteion a suai'r gwenyn. Doedd dim diwedd ar y sŵn.

Ac yna plygodd Aby Biddle a thaflu'r cylch golau-leuad allan drwy'r ffenest. Hedfanodd y gwenyn ar ei ôl. Aeth y gwenyn yn llai ac yn llai. Distewodd eu sŵn. A bu tawelwch unwaith eto.

'Foneddigion a boneddigesau,' meddai Aby Biddle.

Gwenodd o glust i glust ac ymgrymodd i bob cornel o'r stafell. 'Falle byddwch chi'n credu mewn hud a lledrith o hyn allan.'

Gafaelodd yn ei glogyn, sgubodd wenynen neu ddwy o'r leinin a chamodd allan i'r nos. Roedd wedi rhoi prawf o'i allu hudol. Nawr roedd y swyn ar ben. Crensiai ei sgidiau yn yr eira gan adael olion dyfnion ar hyd y llwybr.

Ymadawodd y gwesteion eraill ar frys gan weiddi'n groch am eu cerbydau a'u ceffylau. O'r diwedd roedd pawb wedi mynd. Suai un wenynen o flaen y grât. Crynodd gwraig y ficer wrth i'w gŵr ei sgubo i'r tân. Edrychodd o'i chwmpas ar yr annibendod – y cadeiriau ar lawr, y gwydrau wedi malu, gweddillion y bwyd ar y ford.

'Am lanast! Am lanast!' clwciodd wrth fynd i alw'r morynion. Trawodd yn erbyn dysgl wrth wibio heibio a llifodd diferion o dreiffl dros y llawr.

Cerddodd y ficer ar draws y stafell a chau'r ffenest ar y nos, y gwenyn a'r swyn. Ysgydwodd ei ben, a oedd yn dal i suo fel cwch gwenyn. Disgynnodd yn swp i'w gadair. O'r diwedd distewodd y sŵn yn ei ben. Ochneidiodd yn grynedig, yn ddiolchgar.

'Hedd, perffaith hedd,' meddai'n fodlon.

Merch y Goedwig

Aeth dyn o'r enw Einion i fyw ger Tregaron gyda'i wraig, Angharad. Ar lannau'r afon Teifi cododd blasty o'r enw Ystrad Caron. Roedd Einion yn ddyn caredig a hael ac fe gododd bont dros yr afon, ar ei draul ei hunan, i helpu ei gymdogion tlawd. Roedd Einion yn hapus yn ei gartref newydd. Roedd yn trin ei dir ac fe ddywedai'n aml iawn nad oedd dim yn fwy annwyl ganddo na'i wraig a'i delyn. Roedd Einion yn un o delynorion gorau Cymru ac roedd ganddo delyn odidog. Roedd y delyn mor hynod fel na allai neb ond Einion ei chanu. Fin nos byddai Einion yn canu'r delyn i'w wraig wrth i'r ddau eistedd o flaen y tân.

Un dydd, tra oedd yn cerdded drwy'r coed yn ymyl y plasty, clywodd Einion gân hudolus. Roedd y goedwig yn llawn o adar, ond doedd Einion erioed wedi clywed cân mor swynol â hon.

'Rhaid mai'r eos sy'n canu,' meddyliodd.

Roedd Einion wedi darllen cerddi am yr eos, ond

doedd e erioed wedi clywed yr aderyn yn canu yn y goedwig ger ei dŷ.

Y noson honno, tra oedd yn canu'r delyn, teimlai'n anniddig. Doedd cân y delyn ddim yn ei swyno mwyach. Clywai eco pell yr eos ym mhob nodyn.

'Be sy'n bod?' gofynnodd Angharad.

'Dim,' meddai Einion.

Wyddai e ddim sut i ddweud wrth ei wraig. Yn ei ben pynciai cân yr eos, mor ysgafn, mor hudolus. Gadawodd Einion ei delyn ac aeth i eistedd yn ymyl Angharad. Cydiodd yn ei llaw a'i mwytho. Yng ngolau'r tân disgleiriai eu modrwyon, dwy fodrwy o aur gwyn yn union 'run fath.

Bob dydd âi Einion i'r goedwig. Allai e ddim peidio. Bob dydd clywai gân yr eos ac fe'i dilynai ymhellach ac ymhellach. Bob dydd tyfai'r goedwig yn fwy trwchus a gwyllt. Doedd dim diwedd iddi.

Fin nos gwnâi Einion ei orau i ganu'r delyn fel arfer, ond roedd y sŵn yn ei siomi. Yn ei ben daliai'r eos i ganu. Ar ôl ychydig funudau byddai'n gollwng y delyn.

'Be sy'n bod?' gofynnai Angharad bob nos.

'Dim,' meddai Einion.

Doedd gan Einion amser i ddim ond i grwydro'r coed. Mentrai ymhellach ac ymhellach. Roedd cân yr eos yn ei ddenu yn ei flaen. Un diwrnod ymwthiodd drwy'r canghennau nes cyrraedd llannerch yn y coed. Doedd dim sôn am yr aderyn, ond roedd y gân yn ei glust yn uwch nag o'r blaen. Yn sydyn, drwy'r coed, ymddangosodd y ferch harddaf a rhyfeddaf a welodd erioed. Roedd ei chroen cyn wynned â blodau'r drain, ei gwefusau cyn goched â ffrwyth y griafolen, ei llygaid o

liw fioled blagur y wernen. Disgleiriai ei gwallt melyngoch fel dail ffawydd yr hydref. Roedd hi mor denau ag onnen, mor osgeiddig â'r llwyfen, yn arogli o leim a blodau'r ysgawen. Gwyrddni ffres y dail oedd lliw ei dillad: glaswyrdd, melynwyrdd, llwydwyrdd. Chwyrlïai ei chlogyn o'i chwmpas, gyda chynffon o flodau o seithliw'r enfys. Suai eu henwau drwy'r llannerch ac roedd hud yn eu sŵn:

tresgl, ffion, coch yr ŷd,

dail robin, briallu, elebor,

eurddanhadlen, mefus gwyllt,

llygaid doli, llysiau'r gwynt,

bronwst, gludlys, clychau'r gog,

briwydd bêr a lili Mai.

Siaradodd y ferch, a'i llais hi oedd cân yr eos. Roedd sŵn ei henw'n llawn o eco'r coed – deri, derw, derwen. Ar ei phen gwisgai goron gain o uchelwydd a thyfai craf y geifr fel sêr o gylch ei thraed.

Wrth iddi nesáu, gwelodd Einion gysgod carn o dan ymyl ei sgert, ond roedd ei llais yn dal i'w hudo. Cydiodd y ferch yn ei law a cherddodd Einion gyda hi fe pe bai mewn breuddwyd swyn.

Oedodd Einion yng nghwmni merch y goedwig. Gwyliodd y dail yn agor ar y coed, a'r cynffonnau ŵyn bach yn gwasgar eu paill ar y gwynt. O'i gwmpas byrlymai blodau fel ewyn ton. Symudai mewn breuddwyd dan ganopi'r dail yn y goedwig ddiddiwedd. Weithiau cerddai drwy dusw o lus duon bach, o redyn a grug. Weithiau cerddai drwy nentydd lle gwibiai glas y dorlan, fel atgof, yn sydyn a chwim, ar gyrion ei olwg. Gwyliodd Einion y rhedyn yn cochi, dilynodd hynt yr hadau yn y gwynt, gwelodd ddail yn fflamio a disgyn i'r llawr.

Roedd y ferch bob amser yn ei ymyl. Weithiau roedd hi'n gwmwl o ieir bach yr ha, ieir bach perl ac arian. Weithiau suai gwenyn drwy felyster ei gwallt. Fin nos hedai gwyfynnod brith a rhesog at oleuni ei hwyneb.

Bob nos gorweddai Einion ar glustogau o fwsog. Gwyliai'r lleuad yn tyfu a lleihau uwchben y ffawydd, yr ynn a'r criafol, uwchben y gwern, yr helyg a'r drain, uwchben y deri, y celyn a'r cyll, uwchben drysni'r mieri a'r iorwg, uwchben siffrwd sych y brwyn a brigau cam yr ysgawen dywyll.

Un noson gorweddai Einion yn effro ar y mwsog yn gwylio canghennau moel y coed yn chwifio yn yr awyr. Roedd y lleuad yn llawn, yn gylch o aur gwyn. Ochneidiodd yr awel drwy frwyn y llyn. Roedd y sŵn yn drist, yn llawn o atgofion pell a miwsig coll. Edrychodd Einion ar y ferch. Safai ar lan y llyn yn fythwyrdd a'i gwefusau fel aeron. Disgleiriai ei phrydferthwch fel oerni'r rhew. Pefriai'r uchelwydd yn gylch llachar ar ei phen. Daliodd Einion ei wynt. Roedd hi'n estyn carn du i'r dŵr ac yn troi'r cylch golau-leuad yn araf, araf.

Trodd Einion y cylch aur am ei fys. Teimlai rywsut ei fod yn werthfawr. Chwyrlïai'r cylch fel atgof drwy ei feddwl ac yn sydyn gwyddai Einion fod rhaid amddiffyn y fodrwy.

Tynnodd y fodrwy oddi ar ei fys. Agorodd ei lygad dde yn llydan a gwthiodd y fodrwy o dan ei amrant i'w chadw'n ddiogel.

Edrychodd Einion o'i gwmpas yn syn. Roedd yr olygfa wedi newid. Rywsut, am ei fod yn edrych drwy'r fodrwy, roedd yn gweld yn glir am y tro cyntaf. O'i amgylch roedd y coed yn dywyll a bygythiol a'u boncyffion yn cau amdano fel barrau carchar. Edrychai dŵr y llyn yn oer a llwyd a sugnai'r tonnau barus wreiddiau'r coed. Meddyliodd Einion am foment fod y ferch wedi mynd. Yna clywodd dwrw carnau a neidiodd creadur erchyll tuag ato. Roedd gan y creadur drwyn a blew fel baedd gwyllt, carnau a chyrn fel carw, llygaid a dannedd melyn fel blaidd. Yn lle cân hudolus yr eos clywodd sgrech aderyn ysglyfaethus.

Trodd Einion ar ei sawdl a dianc. Curai ei galon mor uchel â'r carnau trwm. Gwibiodd i mewn ac allan drwy'r coed. Chwipiwyd ei gefn gan ganghennau'r fedwen, rhwygwyd ei ddillad gan frigau'r onnen. Cydiodd crafangau'r helyg yn ei figyrnau. Ymestynnodd y drain gwynion eu pigau enfawr ar draws ei lwybr. Trywanwyd ei goesau gan frwyn. Plymiodd Einion drwy fieri a gripiai ei wyneb a'i freichiau. Prociwyd e a chwipiwyd e gan foncyff, cangen a brigyn. Rhuthrodd yn ei flaen gyda sŵn y carnau yn ei glust. Weithiau roedd y creadur yn dynn wrth ei sodlau a theimlai Einion anadl boeth ar ei war. Cyrhaeddodd Einion gwr y goedwig. Rhuthrodd allan o gysgod y coed. Rhedodd dros y bont, heb aros eiliad nes cyrraedd wal gardd y plasty. Yna safodd ac edrych dros ei ysgwydd.

Roedd y goedwig fawr yn crebachu o flaen ei lygaid. Diflannodd y coed fel pwll dŵr yn yr haul. Cyn hir dim ond sgerbwd y bryniau oedd ar ôl.

Edrychodd Einion i lawr ar ei ddillad rhacs a'r crafiadau ar ei groen. Gwelodd flew gwyn hir yn tyfu ar ei ên. Am faint o amser oedd merch y goedwig wedi ei

hudo? Cofiodd sylwi ar dreigl y tymhorau, ond roedd e'n dal yn ifanc tra oedd yn y coed. Nawr sylweddolodd Einion fod ei gefn yn grwm a'i goesau'n hen a blinderus.

Llithrodd Einion yn dawel bach drwy ddrws cegin y plasty. Roedd y gogyddes yn brysur yn tylino toes a sylwodd hi ddim arno. Aeth Einion yn ei flaen i'r parlwr. Yno wrth y tân eisteddai hen wraig. Safai telyn lychlyd yng nghysgod y simdde. Yn ara bach aeth Einion at y delyn. Ystwythodd ei fysedd poenus a llifodd nodau pêr o'r tannau. Cododd Angharad ei phen. Roedd hi'n adnabod Einion ar unwaith, er iddo ddiflannu flynyddoedd ynghynt ac er bod ei farf yn wyn a'i ddillad yn rhacs. Doedd neb, meddai hi wrtho, wedi llwyddo i gael yr un nodyn o'r delyn ers iddo fynd.

Eisteddodd Einion yn ymyl ei wraig a mwythodd ei

llaw. Disgleiriai eu modrwyon, dau gylch o aur gwyn, yng ngolau'r tân. Gwenodd yn dawel bach.

'Be sy'n bod?' gofynnodd Angharad.

'Dim,' meddai Einion. 'Meddwl oeddwn i nad oes dim ar y ddaear fawr mor annwyl â'm gwraig a'm telyn.'

Am flynyddoedd wedi hynny bu Einion unwaith eto'n trin ei dir ac yn uchel ei barch ymhlith ei gymdogion. Bob dydd âi am dro, ond roedd e'n falch fod y goedwig wedi diflannu. Roedd yn well ganddo'r bryniau moel a'r golygfeydd eang, agored. Tyfai clystyrau o goed yma ac acw o hyd mewn pant a glyn, yn y cloddiau ac ar gyrion mynwentydd, ond gofalai Einion gadw'n bell oddi wrthyn nhw. Ac am gân hudolus yr eos, chlywyd mohoni byth eto yn yr ardal honno.

Swyn Cyntaf Myrddin

Ar ôl colli brwydr, penderfynodd y Brenin Gwrtheyrn gilio i fynyddoedd Eryri a gorchmynnodd i'w ddynion adeiladu tŵr i amddiffyn ei wersyll newydd. Daeth o hyd i lecyn perffaith. Roedd y llecyn hwnnw fel petai ar gopa'r byd, gyda chreigiau'n goglais yr awyr. Dim ond yr eryr fedrai hedfan yn uwch.

Ar doriad gwawr dechreuodd timau o adeiladwyr godi'r tŵr. Bu'r dynion wrthi'n brysur yn palu ffosydd, cymysgu morter ac yna'n naddu blociau mawr o garreg ac yn eu codi i'w lle. Erbyn nos roedd seiliau'r wal allanol wedi eu gorffen. Rhwbiodd yr adeiladwyr eu cefnau poenus a rhoi eu hoffer i gadw gan lyfu eu gwefusau wrth arogli'r swper a ffrwtiai yn y crochanau dros danau'r gwersyll.

Yn sydyn ysgydwodd y tir o dan eu traed. Clywyd rhu fawr – fel taran, fel tân, fel pwl o dymer ddrwg – yn codi o grombil y mynydd. Crynodd y dynion. Cydiodd pawb yn dynn yn ei gilydd, syrthion nhw i'r llawr a dal gafael yn y twmpathau porfa wrth i'r ddaear siglo. Chwyrnodd y mynydd a diasbedain fel arfau rhyfel. Corddodd y ddaear. Chwyrnellodd creigiau i'r dyffryn a malu'n ddarnau. Syllodd yr adeiladwyr mewn arswyd. Roedd seiliau carreg y tŵr yn cracio a malu! Cyn hir gorweddai eu holl waith yn deilchion o'u cwmpas. Tawelodd y sŵn 'run mor sydyn. Sgrialodd un gawod fechan o gerrig i lawr y mynydd ac yna bu distawrwydd.

Ddydd ar ôl dydd digwyddodd yr un peth. Bob bore byddai'r adeiladwyr yn mynd ati i godi'r tŵr ond, bob nos, câi'r cyfan ei chwalu. Dychrynodd ac arswydodd pawb. Galwodd y Brenin Gwrtheyrn ei ddewiniaid ato a mynnodd gael gwybod beth oedd yn achosi'r broblem.

'Mae'r mynydd yn ddig, arglwydd,' meddai'r dewin cyntaf, 'a rhaid i ti roi anrheg iddo. Dim ond un anrheg wnaiff y tro, sef uncorn claerwyn gyda chorn o ifori a mwng aur.'

Ochneidiodd y brenin. Uncorn oedd yr ateb i bob problem yn ôl y dewin cyntaf. Roedd y brenin wedi clywed sôn am uncorn, ond doedd neb erioed wedi gweld un. Galwodd ei ail ddewin ato.

'Mae'r mynydd yn ddig, arglwydd,' meddai'r ail ddewin, 'a rhaid i ti roi anrheg iddo. Dim ond un anrheg wnaiff y tro, sef môr-forwyn gyda gwallt fel haul ar ddŵr a chynffon wyrddlas fel y môr.'

Ochneidiodd y brenin. Môr-forwyn oedd yr ateb i bob problem yn ôl yr ail ddewin. Roedd y brenin wedi clywed sôn am fôr-forynion, ond doedd neb erioed wedi gweld un. Galwodd ei drydydd dewin ato.

'Mae'r mynydd yn ddig, arglwydd,' meddai'r trydydd

dewin, 'a rhaid i ti roi anrheg iddo. Dim ond un anrheg wnaiff y tro, sef cawr gyda barf fel llwyn o ddrain a llais sy'n uwch na'r daran.'

Ochneidiodd y brenin. Cawr oedd yr ateb i bob problem yn ôl y trydydd dewin. Roedd y brenin wedi clywed sôn am gewri, ond doedd neb erioed wedi gweld un.

Ac felly y bu. Galwodd y brenin pob dewin yn ei dro, ac yn ôl pob dewin roedd rhaid rhoi anrheg i'r mynydd, ond roedd pob anrheg yn fwy hynod ac amhosibl na'r un flaenorol.

Mewn anobaith llwyr galwodd y brenin ei ddewin olaf, sef y trydydd dewin ar ddeg.

'Mae'r mynydd yn ddig, arglwydd,' meddai'r trydydd dewin ar ddeg, 'a rhaid i ti roi anrheg iddo. Dim ond un anrheg wnaiff y tro, sef . . .'

Oedodd y dewin a chrafu ei ben yn wyllt. Roedd y dewiniaid eraill wedi enwi cymaint o anrhegion hynod, doedd dim llawer o ddewis ar ôl.

'. . . sef bachgen heb dad daearol!' meddai'r dewin yn fuddugoliaethus.

Agorodd y trydydd dewin ar ddeg ei lygaid yn syn. Doedd e ddim wedi bwriadu dweud y fath beth. Gallai dyngu fod llais arall wedi siarad drwyddo.

'Hm!'

Syllodd y brenin yn ddwys ar y trydydd dewin ar ddeg.

'Wel . . . bachgen ddwedest ti? Falle bydd hi'n haws cael gafael ar hwnnw nag ar yr anrhegion eraill. Bydd rhaid ei ladd i blesio'r mynydd, mae'n debyg?'

'O, bydd, arglwydd. Bydd siŵr,' meddai'r trydydd dewin ar ddeg. 'Bydd y mynydd am ei waed.'

Ochneidiodd y brenin. Lladd rhywun neu rywbeth oedd yr ateb i bob problem yn ôl y dewiniaid.

'O wel,' meddai'r brenin. 'Gwell i ni wneud ein gorau, debyg iawn.'

Teithiodd negeswyr y brenin i bob cwr o'r wlad a chyhoeddi eu neges ym mhob tref, pentref a fferm.

'Yn enw Gwrtheyrn rydyn ni'n chwilio am blentyn heb dad daearol.'

Ac ym mhob tref, pentref a fferm chwarddodd y bobl am eu pennau. Hyd yn oed os oedd tadau rhai bechgyn wedi marw neu wedi diflannu, roedd y bechgyn hynny'n gwybod fod ganddyn nhw dadau dynol.

O'r diwedd, wedi blino'n lân, yn llychlyd a gwangalon, cyrhaeddodd negeswyr y brenin gatiau tref Caerfyrddin. Wrth i'r dynion ddisgyn oddi ar eu ceffylau, fe gododd ffrwgwd rhwng criw o fechgyn oedd yn chwarae pêl mewn cae ger Afon Tywi. Roedd eu lleisiau dig i'w clywed yn glir ar awel lonydd yr hwyrnos. Cododd bachgen tywyll, main y bêl a dechrau cerdded tuag at y dref.

'Wfft i ti,' galwodd un o'r bechgyn eraill ar ei ôl. 'Dŷn ni ddim eisiau chwarae gyda ti ta beth. Does neb yn gwybod pwy wyt ti, achos does gen ti ddim tad dynol.'

Edrychodd negeswyr y brenin ar ei gilydd gan anghofio'u blinder. Clymodd pawb eu ceffylau a dilyn y bachgen i'r strydoedd culion. Ar ôl brysio ar hyd lonydd troellog a dringo rhiwiau serth, aeth y bachgen drwy ddrws bach ger eglwys Sant Pedr. Aeth dynion y brenin ar ei ôl.

Eisteddai gwraig wrth y tân mewn stafell isel. Cyhoeddodd dynion y brenin eu neges arferol.

'Yn enw Gwrtheyrn rydyn ni'n chwilio am fachgen heb dad dynol.'

Gwingodd y wraig.

'O, Myrddin, fy mab. Ro'n i'n gwybod y byddai'r alwad yn dod ryw ddydd.'

Edrychodd Myrddin yn sur ar negeswyr y brenin.

'Does gen i ddim tad daearol. Beth ŷch chi eisiau?'

Soniodd y negeswyr am dŵr Gwrtheyrn ac am awgrym y trydydd dewin ar ddeg.

'Gwaed bachgen!' chwarddodd Myrddin. 'Am ddwli! Fe ddangosa i i ddewiniaid y brenin fod bachgen ifanc yn fwy cryf a gwybodus na nhw. Dewin oedd fy nhad, mae'n wir. Gallai newid ei siâp. Gallai droi'n unrhyw greadur dan haul: yn eryr, yn geffyl, neu'n frithyll môr. Perthynai i fyd breuddwyd a myth y tu hwnt i'ch dychymyg chi. Feiddiai neb ddweud ei enw. Roedd ei enw mor nerthol. Plygai dewiniaid eraill fel gwellt pan âi heibio. Fi yw ei fab.'

Ar ôl teithio'n galed am sawl diwrnod, aeth y negeswyr â Myrddin at Gwrtheyrn. Safai'r brenin o flaen adfeilion ei dŵr gyda'i ddewiniaid o'i gwmpas. Trodd Myrddin at y dewiniaid yn chwyrn.

'Pam ŷch chi'n rhoi cyngor mor hurt i'ch brenin?' meddai. 'Pam ŷch chi am fy ngwaed a chithau heb syniad sut y chwalwyd y tŵr? Nid y mynydd sy'n ddig ond y dreigiau sy'n byw ac yn ymladd oddi tano.'

Grwgnachodd y dewiniaid dan eu gwynt.

Ochneidiodd y brenin.Yn amlwg roedd Myrddin yn un o'r dewiniaid hynny oedd bob amser yn siarad am ddreigiau. Roedd y brenin wedi clywed sôn am ddreigiau. Roedd e wedi hen alaru clywed amdanyn nhw. Câi'r dreigiau eu beio am bob math o bethau, ond doedd y brenin erioed wedi cwrdd ag unrhyw un oedd wedi gweld draig.

Lledodd Myrddin ei freichiau.

'O dan y mynydd hwn mae llyn,' meddai.

Roedd ei lais yn isel a thawel. Crynai ei gorff fel

fflam. Weithiau roedd e'n dal fel dyn, fel ei dad ei hun, fel y byddai yntau yn y dyfodol. Yr eiliad nesaf roedd e'n fachgen unwaith eto.

Cloddiodd adeiladwyr y brenin o dan adfeilion y tŵr. Fe fuon nhw wrthi am wythnos gron ac ar ddiwedd yr wythnos daeth llyn mawr i'r golwg yn gorwedd mewn cafn ar gopa'r mynydd.

Lledodd Myrddin ei freichiau.

'O dan y llyn hwn mae cist garreg,' meddai.

Dechreuodd yr adeiladwyr ollwng y dŵr o'r llyn. Fe fuon nhw wrthi am wythnos gron ac ar ddiwedd yr wythnos daeth cist garreg i'r golwg yn y cafn gwag ar ben y mynydd.

Lledodd Myrddin ei freichiau.

'O dan y clawr hwn mae 'na ddreigiau,' meddai.

Aeth adeiladwyr y brenin ati i agor byclau'r gist â chŷn. Fe fuon nhw wrthi am wythnos gron ac ar ddiwedd yr wythnos agorodd y clawr carreg yn sydyn a daeth dwy ddraig i'r golwg yn gorwedd yn dorch. Roedd un ddraig yn wyn gyda llewyrch y lloer ar ei chen. Draig goch oedd y llall gyda fflamau'r wawr ar ei chen. Tra oedden nhw'n gwylio, deffrôdd y dreigiau a dechrau ymladd, gan ruo a chrafu a rhwygo'i gilydd.

Llosgwyd cafn y mynydd gan eu hanadl boeth. Cleciodd a chrafodd y gist wag yn erbyn y graig. Chwipiai'r dreigiau gefnau'i gilydd â'u cynffonnau cennog. Roedd y twrw'n erchyll. Crynai'r mynydd cyfan gan mor chwyrn y frwydr. O'r diwedd tawelodd tymer y dreigiau a gorweddodd y ddwy yn dorch unwaith eto yn y gist garreg.

'Mae'r ddraig wen yn cynrychioli'r Sacsoniaid,'

meddai Myrddin wrth y brenin, 'ac mae'r ddraig goch yn cynrychioli'r Brythoniaid. Mae eu brwydr fel rhyfel barhaus rhwng dwy genedl. Chewch chi ddim heddwch fan hyn a wnaiff eich twr byth sefyll.'

Lledodd Myrddin ei freichiau.

Caeodd clawr y gist ohono'i hun. Yn ara bach diflannodd wrth i gafn y mynydd lanw â dŵr unwaith eto. Disgynnodd creigiau a phridd yn ôl i'w lle, nes bod y llyn yn diflannu yn union fel pe na bai erioed wedi bod.

Penderfynodd y Brenin Gwrtheyrn ddilyn cyngor Myrddin a chodi ei gastell ar safle arall. Er mwyn bod yn ddiogel, symudodd ei fyddin, ei adeiladwyr a'i dri dewin dwl ar ddeg ymhellach i'r de. Adeiladodd ei gastell yn ymyl Caerfyrddin, mewn lle a elwir Craig Gwrtheyrn. Teimlai'n hapusach yno yn ymyl Myrddin. Myrddin oedd y dewin callaf a welodd erioed, a'r unig un a lwyddodd i ddangos draig iddo.

Moch Pryderi

Amser maith yn ôl, bron cyn cof, roedd Math fab
Mathonwy yn arglwydd ar Ogledd Cymru a Pryderi fab
Pwyll yn arglwydd ar Dde Cymru. Mae'r hanes
amdanynt ar chwâl fel pelydrau'r haul ar wyneb y dŵr,
yn llawn o sibrydion fel siffrwd yr awel drwy'r brwyn.

Un diwrnod daeth Gwydion, y dewin, at Math.

'Arglwydd,' meddai. 'Clywais fod gan Pryderi fab
Pwyll genfaint o anifeiliaid hynod iawn. Maen nhw'n
llai nag ychen, ond mae eu cig yn fwy blasus o lawer.'

Gwrandawodd Math yn astud. Hoffai glywed am
gampau arglwydd y De. Pwysodd ymlaen yn awchus yn
ei gadair.

'Beth yw enw'r creadur newydd hwn?' gofynnodd.

'Mochyn, arglwydd,' meddai Gwydion.

'Mochyn?'

Am enw diflas, meddyliodd Math. Roedd wedi disgwyl
gwell. Griffon efallai – hanner llew, hanner eryr.
Sylweddolodd Gwydion fod Math wedi'i siomi.

'Baedd yw ei enw arall, arglwydd.'

'Baedd?'

Am enw diflas, meddyliodd Math. Roedd wedi disgwyl gwell. Basilisg efallai – hanner neidr, hanner ceiliog. Sylweddolodd Gwydion fod Math wedi'i siomi.

'Twrch yw ei enw hefyd, arglwydd.'

'Twrch?'

Am enw diflas eto, meddyliodd Math. Roedd wedi disgwyl gwell. Dynfarch efallai – hanner dyn, hanner march. Teimlai Math braidd yn ofnus wrth feddwl am griffon, basilisg a dynfarch, ond o leia roedden nhw'n greaduriaid gwerth chweil. Doedd mochyn, baedd neu dwrch ddim hanner mor ddiddorol. Serch hynny, doedd Math ddim yn hapus. Roedd gan Pryderi genfaint o foch a doedd gan yntau ddim un. Byddai pawb yn credu fod Pryderi'n bwysicach nag e.

Drannoeth, ar orchymyn Math, teithiodd Gwydion i'r de i wlad Ceredigion lle'r oedd Pryderi'n llywodraethu. Aeth ag un ar ddeg o ddynion gydag e. Roedden nhw i gyd wedi'u gwisgo fel beirdd neu glerwyr, yn hytrach na milwyr, er mwyn i'r bobl adael llonydd iddynt. Ar ôl siwrne hir daethant at blas Pryderi ar lan afon lydan mewn lle o'r enw Rhuddlan Teifi.

Cafodd Gwydion a'i ddynion groeso mawr a threfnwyd gwledd ar eu cyfer y noson honno. Gwegiai'r byrddau dan lwyth o fwyd; tasgai a phoerai'r canhwyllau brwyn a dawnsiai cysgodion eu fflamau aur dros y waliau. Cariwyd rhesi o ffiolau o win i'r ford a neidiai cŵn at yr esgyrn a deflid i'r llawr. Canodd dynion Gwydion a chwarae'u hofferynnau ac adrodd penillion. Roedd pawb yn mwynhau. Eisteddai Gwydion yn ymyl Pryderi.

Swynodd y gwesteion â'i storiau difyr, doniol a chyfareddwyd Pryderi a'i lys. Ar ddiwedd y noson, trodd Gwydion at Pryderi a gofyn a gâi wneud cais.

'Cei siŵr,' meddai Pryderi'n llon gan guro'i gefn. 'Fe gei di beth bynnag sy gen i i'w roi.'

'Rho dy genfaint o foch i mi,' meddai Gwydion yn hy, 'er mwyn i mi fynd â nhw'n ôl i'm gwlad ac ennill ffafr fy arglwydd.'

Gwasgodd Pryderi ei wefusau a gwgu.

'Arawn, brenin Annwfn, roddodd y moch i mi,' meddai. 'Am eu bod yn dod o wlad hud Annwfn, maen nhw'n brin a gwerthfawr iawn. Roedd rhaid i mi addo i Arawn na fyddwn i byth yn eu gwerthu na'u rhoi.'

Roedd Pryderi'n falch iawn fod ganddo'r esgus hwn. Roedd wedi mwynhau cwmni difyr Gwydion ac eto doedd e ddim am golli'r moch.

Roedd wedi gwneud addewid i Arawn a wiw i neb anufuddhau i'r brenin hwnnw.

'Gwna gais arall,' meddai'n garedig. 'Beth bynnag arall sy gen i i'w roi, fe'i cei.'

Ysgydwodd Gwydion ei ben.

'Rwy am gael y moch,' meddai, 'ac fe'u caf i nhw hefyd. Does gen ti mo'r hawl i'w rhoi nhw i mi, meddet ti, na'u gwerthu chwaith. Mae brenin Annwfn wedi dy wahardd di rhag eu rhoi na'u gwerthu, ond fe allet ti eu cyfnewid.'

Cododd Gwydion a brasgamu at ddrws y neuadd.

'Bore fory fe gwrdda i â ti wrth ryd yr afon,' meddai dros ei ysgwydd. 'Dere â'r moch. Fe fydd gen i rywbeth arbennig iawn i ti yn eu lle.'

Marchogodd Gwydion a'i ddynion yn ôl i'w gwersyll yr ochr draw i'r afon.

'Beth sy gyda ni i'w cyfnewid am foch Pryderi?' gofynnodd y dynion. 'Mae ar ben arnon ni. Does gyda ni ddim byd gwerth chweil.'

Aeth y dynion i gysgu'n ddiflas iawn.

Chysgodd Gwydion ddim. Cerddodd drwy'r nos ymysg y coed ar lan yr afon. Roedd sŵn ei lais fel cân y gwynt drwy'r canghennau. Tynnodd stribedi o risgl o'r fedwen arian. Rhwydodd belydrau'r lleuad ganol nos. Daliodd donnau cyhyrog yr afon. Pridd coch, aeron porffor, porfa euraid. Casglodd y cyfan a'u rhwymo. Moldiodd nhw â'i ddwylo a'u llanw â'i anadl hud.

Pan ddeffrôdd ei gymdeithion yn y bore, syllodd pawb mewn rhyfeddod.

Roedd Gwydion, drwy swyn, wedi creu deuddeg march rhyfel. Safai'r deuddeg ar lan yr afon a llewyrch y wawr ar eu cefnau. Plygai'r deuddeg i yfed o'r dŵr bas a thasgai cawodydd arian o'u carnau. Roedd mwng pob un yn hir ac yn denau fel llin. Roedd gan bob ceffyl wartholion a ffrwyn o aur, nid o haearn. Roedd pob cyfrwy'n frith o feini gwerthfawr. Yn ymyl y ceffylau rhedai deuddeg milgi. Disgleiriai gemau ar goler pob un. Roedd eu blew o liw felfed y nos ac ar fron pob un pefriai siâp seren arian.

Cyfarfu Gwydion a Pryderi wrth ryd yr afon. Safai Pryderi a'i weision ar y lan agosaf at eu plas. Snwffiai a rhochiai'r genfaint foch wrth eu traed. Safai Gwydion a'i ddynion ar y lan agosaf at eu gwersyll. Yn eu hymyl safai'r ceffylau a'r milgwn, a'u hud a'u harddwch yn gwneud i'r awyr grynu.

Hoeliodd Pryderi ei lygaid ar yr olygfa o'i flaen. Doedd e erioed wedi gweld y fath greaduriaid godidog. Doedd dim byd tebyg i'r ceffylau a'r milgwn hyn – dim un creadur chwedlonol – dim griffon na basilisg na dynfarch, dim gwifr nac uncorn na ffenics. Roedden nhw'n rhagori ar bob creadur byw. Roedden nhw fil gwell na'r genfaint foch a gawsai gan frenin Annwfn.

Cytunodd i gyfnewid.

Croesodd y moch yr afon at Gwydion a chroesodd y ceffylau a'r milgwn at Pryderi.

Cododd Gwydion ei law i ffarwelio â Pryderi â gwên fach ar ei wyneb. Gorchmynnodd i'w ddynion neidio ar gefnau eu ceffylau. I ffwrdd â nhw ar unwaith i'r gogledd gan yrru'r moch o'u blaenau.

'Brysiwch, brysiwch,' meddai Gwydion. 'Rhaid i ni fynd mor bell ag y gallwn ni cyn nos.'

Welodd Pryderi mohonyn nhw'n mynd. Roedd wedi

51

Graham Howells

gwirioni ar ei geffylau a'i filgwn. Arhosodd gyda'r anifeiliaid ar lan yr afon drwy'r dydd. Mwythodd eu cefnau, sibrydodd eiriau cariadus yn eu clustiau, rhyfeddodd at geinder pob cyfrwy a choler.

Wrth iddi ddechrau nosi sylwodd Pryderi fod sglein eu blew yn pylu, y gemau hardd yn colli eu lliw, yr aur a'r arian yn llwydo. Meddyliodd fod ei lygaid yn ei dwyllo yn y gwyll, ond roedd y creaduriaid yn dal i welwi. Tywyllodd yr awyr. Roedd y ceffylau'n gysgodion, y milgwn fel ysbrydion. Symudent o'i gwmpas mor ysgafn â niwl.

Galwodd Pryderi am ffaglau o'r plas. Erbyn iddynt gyrraedd, roedd yr anifeiliaid wedi diflannu'n llwyr. Cydiodd Pryderi mewn ffagl a'i chodi'n uchel. Doedd dim i'w weld – dim ond dyrnaid o bridd ac aeron a rhisgl, sypyn o wellt a llewyrch pell y lleuad ar y dŵr.

Hela'r Sgwarnog

Roedd hen wraig a'i hŵyr yn byw mewn bwthyn ar lethrau isaf yr Wyddfa. Roedd y bwthyn yn fach, ond roedd y waliau cerrig yn gadarn a'r to o lechi cryf. Roedd yr hen wraig a'i hŵyr bob amser yn gysurus, hyd yn oed pan ruai stormydd y gaeaf o'u cwmpas. Roedd yr hen wraig yn dlawd ond yn grwn fel eirinen, ei bochau'n goch fel afal a'i llygaid yn loyw fel aeron. Gwisgai sgert las a blowsen felen. Byddai pobl y pentre yn edrych i fyny ac yn ei gweld yn troedio'r mynydd. Roedd ei dillad mor ddisglair â'r rhwyddlwyn neu'r llygaid Ebrill yn y borfa, mor llon â'r haul ar ddydd o haf.

Bob dydd roedd Twm, ei hŵyr, yn mynd i weithio yng ngardd y tŷ crand gerllaw. Bob dydd roedd ei fam-gu yn trin y llysiau a'r planhigion pêr a dyfai yng ngardd ei bwthyn. Bob tymor o'r flwyddyn roedd hi hefyd yn mynd allan i gasglu dail a gwreiddiau, ffrwythau a madarch, cnau a hadau oedd yn tyfu yn y wlad o'i chwmpas.

Roedd ei chegin yn fwrlwm o wres ac aroglau rhyfedd. Gwnâi ddiodydd a jeli, moddion a surop ac eli persawrus. Dringai ei chymdogion i fyny'r rhiw i'w gweld pan oedden nhw'n sâl. Ar ôl un llymaid o'i moddion coch, un llwyaid o ddiod sbeislyd neu rwbiad o'r eli esmwyth, bydden nhw'n siŵr o wella ar unwaith.

Roedd Twm a'i fam-gu yn hoff iawn o anifeiliaid. Hoffai Twm wylio'r boda yn cylchu uwchben a'i adenydd ar led, y brithyll yn neidio a phowlio yn y nant. Hoffai ei fam-gu weld y llwynoges goch yn troedio'n hy heibio i'r clawdd, neu'r dylluan flodeuwedd yn disgyn yn chwim a'i chri cyn oered â'r eira. Ond ffefryn Twm a'i fam-gu oedd y sgwarnog. Roedd y cae islaw eu bwthyn yn llawn o sgwarnogod yn gwibio'n sionc ar eu coesau hir. Bob nos rhedai'r sgwarnogod yn gynt na chysgod cwmwl ar fryn. Weithiau dôi Twm ar draws olion cynnes y wal lle bu sgwarnog yn gorwedd yn y borfa hir. Weithiau dôi ei fam-gu o hyd i nyth o sgwarnogod bach. Syllai'r rhai bach arni, a'u llygaid yn wyn fel y lleuad, a thynnai hithau ei bys dros ymyl eu clustiau sidanaidd.

Roedd y sgweiar yn y tŷ crand lle gweithiai Twm wrth ei fodd yn hela sgwarnogod. Un dydd gwahoddodd ei ffrindiau i ymuno yn yr hwyl. Gofynnwyd i Twm arwain y gwŷr bonheddig i'r caeau ger ei fwthyn lle'r oedd cymaint o sgwarnogod.

Arweiniodd Twm y gwŷr bonheddig i lawr hewl y dyffryn ac yna ar hyd y llwybr a droellai tuag at ei gartref. Wrth i'r cwmni ddringo'r rhiw, gwibiodd sgwarnog o'r tu cefn i'r bwthyn a rhedeg ar draws y cae o'u blaenau. Roedd y sgwarnog yn un hynod iawn, tewach nag arfer, gyda gwawr frown-goch ar ei blew.

Petai'r helwyr yn nes ati, fe fydden nhw wedi sylwi mai llygaid gloyw fel aeron oedd ganddi ac nid llygaid gwyn fel y lleuad.

Gollyngodd yr helwyr eu milgwn a chwythu eu hutgyrn. I ffwrdd â'r milgwn ar ôl y sgwarnog. Roedd y sgwarnog yn eu twyllo i'w dilyn, yn gwibio dros y caeau, yn sleifio drwy'r creigiau, yn neidio dros nentydd. Diflannai i'r borfa hir neu y tu ôl i graig ac yna neidiai allan o rywle annisgwyl. Roedd hi bob amser drwch blewyn o flaen y cŵn. Bob tro y dôi'r sgwarnog i'r golwg, atseiniai sŵn yr utgyrn dros y dyffryn a chyfarthai'r cŵn wrth redeg unwaith eto ar ei hôl.

Cyn hir roedd yr helwyr wedi blino'n lân, ond roedd y sgwarnog mor sionc ag erioed. Roedd hi'n rhedeg a dawnsio, yn troi a throelli, nes bron iawn â hedfan. O'r diwedd, wrth iddi nosi, cyrhaeddodd yr helwyr yn ôl at fwthyn Twm a diflannodd y sgwarnog.

'Dim lwc,' meddai'r sgweiar a'i wynt yn ei ddwrn, 'ond bu'n ddiwrnod i'r brenin.'

Rhoddodd y sgweiar ddarn o arian i Twm am ei help.

Bob tro y penderfynai'r boneddigion fynd i hela'r sgwarnog, roedd yr un peth yn digwydd. Dim ond un sgwarnog ddôi i'r golwg, sef y sgwarnog dew, frown-goch. Byddai'r helfa yn cychwyn a gorffen yn ymyl bwthyn Twm a châi'r sgwarnog byth mo'i dal.

'Dim lwc,' meddai'r sgweiar a'i wynt yn ei ddwrn, 'ond bu'n ddiwrnod i'r brenin.'

Dro ar ôl tro byddai Twm yn gwenu'n gwrtais ac yn diolch i'r sgweiar am y darn arian. Cyn hir dechreuodd y dynion ei amau.

'Mae'r dyffryn yn llawn dop o sgwarnogod fel eirin

57

mewn pwdin,' meddai un. 'Ond pan gyrhaeddwn ni, dim ond un sy yma a fedr neb mo'i dal.'

'Mae'r dyffryn yn llawn dop o sgwarnogod fel afalau mewn teisen,' meddai'r llall. 'Ond pan gyrhaeddwn ni, dim ond un sy yma a fedr neb mo'i dal.'

'Mae'r dyffryn yn llawn dop o sgwarnogod fel mwyar ar ddrain,' meddai'r trydydd. 'Ond pan gyrhaeddwn ni, dim ond un sy yma a fedr neb mo'i dal.'

Dechreuodd y gwŷr bonheddig edrych yn ddrwgdybus iawn ar Twm. Edrychon nhw ar ei fam-gu hefyd a sylwi ei bod yn dew braf, ei bochau'n goch a'i llygaid yn loyw fel aeron. Meddylion nhw am y sgwarnog a dechrau sibrwd ymysg ei gilydd.

'Gwrach, gwrach, gwrach,' sibrydodd y gwŷr bonheddig.

Gwgodd pawb ar fam-gu Twm. Sylwon nhw ar y crochanau a'r moddion, a'i gwylio'n gwella'r cleifion. Sibrydodd y gwŷr bonheddig ymysg ei gilydd yn uwch ac yn uwch:

'Gwrach! Gwrach! Gwrach!'

Gwyddai'r boneddigion fod gwrachod ac anifeiliaid yn ffrindiau mawr. Gwydden nhw hefyd fod gwrachod yn medru newid eu siâp. Gwyddai'r boneddigion mai dim ond un anifail fedrai ddal gwrach ar ffurf creadur, a'r anifail hwnnw oedd milgi du pur.

Chwiliodd y sgweiar ymhell ac agos nes cael gafael ar y fath gi. Roedd y milgi'n denau ac yn gyflym iawn. Pefriai ei ddannedd main a disgleiriai ei got ddu fel petai olew arni.

Gofynnwyd i Twm arwain yr helwyr at y sgwarnogod fel arfer. Gyda'r helwyr roedd y milgi du. Wrth i'r dynion nesáu at y bwthyn, daeth y sgwarnog dew, goch, loyw-lygad i'r golwg. Chwythodd yr helwyr eu hutgyrn. Tynnodd y milgi du ar ei dennyn nes i'r helwyr ei ollwng. Sgrialodd i fyny'r bryn at y sgwarnog. Gwibiodd y sgwarnog i ffwrdd ar ras. Roedd y ddau'n gyflym iawn a doedden nhw'n blino dim wrth redeg a throi a throelli. Doedd y sgwarnog ddim ond trwch blewyn o flaen y ci. Gwyliai Twm a'r helwyr.

'Hei, gi du!' gwaeddodd yr helwyr i annog y ci du.

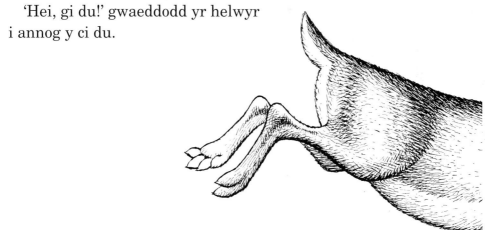

'Hei, Mam-gu!' gwaeddodd Twm ar y sgwarnog gan anghofio cadw'r gyfrinach.

Doedd neb yn siŵr pwy fyddai'n ennill.

'Hei, gi du!'

Roedd yr helwyr yn colli eu lleisiau.

'Hei, Mam-gu!'

Sgrechiodd Twm mewn cyffro.

Aeth yr helfa yn ei blaen, yn ôl ac ymlaen, i fyny ac i lawr, rownd a rownd caeau'r mynydd. Roedd y sgwarnog a'r ci bron yn chwil. Baglodd y sgwarnog unwaith.

'Hei, Mam-gu!' galwodd Twm wrth i'r sgwarnog gael ei thraed oddi tani a rhedeg yn ei blaen.

Unwaith llithrodd y ci i lawr y llethr.

'Hei, gi du!' galwodd yr helwyr wrth i'r ci gael ei draed oddi tano a rhedeg yn ei flaen.

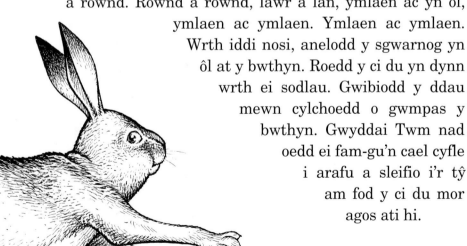

Ymlaen ac ymlaen, yn ôl ac ymlaen, lan a lawr, rownd a rownd. Rownd a rownd, lawr a lan, ymlaen ac yn ôl, ymlaen ac ymlaen. Ymlaen ac ymlaen. Wrth iddi nosi, anelodd y sgwarnog yn ôl at y bwthyn. Roedd y ci du yn dynn wrth ei sodlau. Gwibiodd y ddau mewn cylchoedd o gwmpas y bwthyn. Gwyddai Twm nad oedd ei fam-gu'n cael cyfle i arafu a sleifio i'r tŷ am fod y ci du mor agos ati hi.

Rhedodd y ddau o gwmpas y tŷ dro ar ôl tro ac yna gwibiodd y sgwarnog drwy'r ardd ffrynt a neidio drwy'r ffenest gil-agored. Hedfanodd y ci du drwy'r awyr ar ei hôl. Clywodd yr helwyr ei ddannedd yn clecian wrth iddo fethu'r sgwarnog o drwch blewyn a tharo yn erbyn ffrâm y ffenest.

Gorweddai'r ci yn ddiymadferth ger wal y bwthyn, gan anadlu'n drwm. Rhuthrodd y sgweiar a'r helwyr drwy'r ardd a thorri'r drws ffrynt. Dilynodd Twm. Tyrrodd y dynion i mewn i gegin y bwthyn a chamu'n ôl mewn braw.

Eisteddai sgwarnog ar y gadair ger y tân. O flaen eu llygaid tyfodd nes llanw'r gadair. Yn ara bach trodd ei blew garw yn groen llyfn. Crynodd ei chlustiau hir a'i phen main a throi'n wyneb hen wraig. Diflannodd ei choesau hir o dan sgert las. Trodd ei phawennau'n ddwylo a thwtio'r flows felen.

Gwenodd mam-gu Twm ei gwên dirion ar y sgweiar a'i ffrindiau, ond tasgai rhyw egni rhyfedd o'i chwmpas o hyd. Crynai'r stafell dan effaith y swyn. Cuddiodd yr helwyr eu clustiau rhag y sŵn main. Chwyrlïai'r diodydd a'r moddion lliwgar fel caleidosgop llachar. Pefriai gronynnau llwch fel sêr a neidiai fflamau emrallt o'r tân. Gwnaeth yr helwyr eu gorau i guddio'u llygaid yn ogystal â'u clustiau wrth ddianc o'r bwthyn wysg eu cefnau. Stryffagliodd y criw i lawr y dyffryn gyda'r ci du.

Yn nes ymlaen eisteddai Twm a'i fam-gu ar fainc yn yr ardd yn bwyta bara a chaws i swper.

'Hei, Mam-gu!' ochneidiodd Twm gan ysgwyd ei ben yn ddireidus.

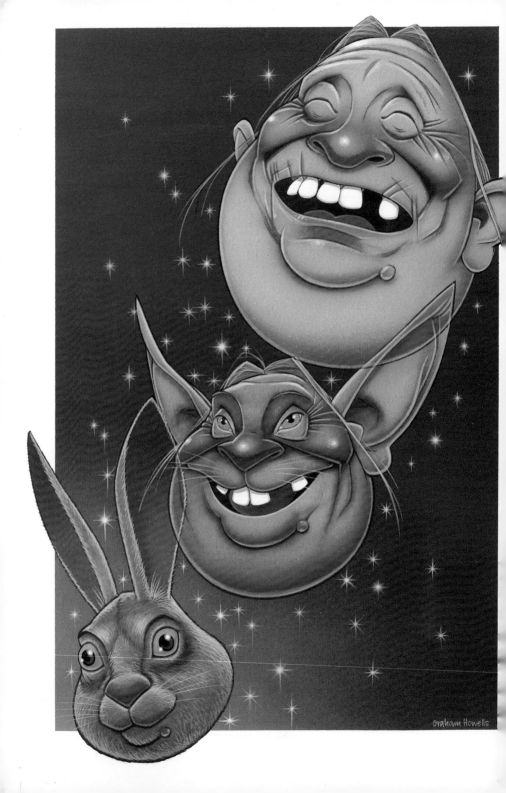

Ddwedodd ei fam-gu 'run gair. Roedd hi'n gwylio'r sgwarnogod yn symud yn chwim, fel gwynt, fel cwmwl, fel chwythwm o law, dros y caeau islaw.